VillA Alfabet

Vals of niet?

Vals of niet?

Kees Opmeer

educatieve
uitgeverij
Maretak

VillA Alfabet is een leesserie voor de betere lezer van groep 3 tot en met groep 8.
VillA Alfabet Oranje is bestemd voor lezers vanaf groep 3.
Een VillA Alfabetboek biedt de goede lezer een uitdagende lees-ervaring en verdiept deze ervaring door het extra materiaal dat in het boek is opgenomen. Daarnaast is bij elk boek materiaal ontwikkeld dat in een aparte uitgave is verschenen: 'VillA Verdieping'.

Illustraties: Kees de Boer (omslag en blz. 6, 16, 30-31, 37, 45, 51, 58, 65, 73, 80, 86)
Marieke Opmeer (blz. 12, 19, 26, 33, 40, 47, 54, 61, 68, 75)
Tekst blz. 6 en blz. 90, 91, 93: Ed Koekebacker en Karin van de Mortel
Vormgeving: Cascade visuele communicatie, Amsterdam
Illustratie blz. 90-91: Gerard de Groot
ISBN 90 437 0244 7
NUR 140/282
AVI 7

Inhoud

(Als je tegenkomt, ga dan naar bladzij 93.
En als je het boek uit hebt, kom dan op bezoek in VillA Alfabet, op bladzij 90-92.)

Als je ergens ontzettend blij mee bent, ben je soms tegelijk bang dat je het weer kwijtraakt. Tilly krijgt een hond, ze is heel blij, maar mag ze de hond houden? En als de hond nu eens váls is, en afgemaakt moet worden? Dat is gewoon te erg om aan te denken...

1 Het eerste hoofdstuk

Tilly ligt op haar buik op de grond. Door de open schuifpui schijnt de zon naar binnen. Van buiten klinkt de hele tijd het heldere stemmetje van Mark. Af en toe bromt moeder slaperig wat terug. Ze ligt te zonnen, weet Tilly, dat vindt ze heerlijk.
Met een potlood krast ze op een vel papier. Ze kijkt soms op naar Bommel die in de mand ligt te slapen. Hij heeft lange, zwarte haren en twee flaporen.
'Doe je?' klinkt het opeens.
Tilly kijkt op naar Mark die de kamer in komt drentelen.
'Ik ben Bommel aan het tekenen,' antwoordt ze, 'vind je het mooi worden?' Ze schuift het papier een eindje naar hem toe.

Mark knikt even, maar hij drentelt meteen door naar de mand. 'Moe, sapen,' brabbelt hij.
Hij klautert in de mand en kruipt tegen Bommel aan. Brommend rekt de hond zich uit en schuift een eindje op. Tegelijk duwt hij snuffelend zijn natte neus tegen Marks korte broek.
'Heb je een vieze luier?' vraagt Tilly.
'Nee!' Mark legt zijn hoofd op Bommels harige rug.
Die hond vindt ook alles goed, denkt Tilly, terwijl ze wat lange krulharen voor haar ogen wegveegt. Dan gaat ze verder met tekenen. Ze maakt een boekje over Bommel, speciaal voor mam. Het is een verrassing voor haar verjaardag. Als ze het leest, begrijpt ze misschien beter hoe belangrijk Bommel voor haar is.
Na een tijdje is haar tekening af: een hond ligt in de berm van een weg, zijn ene poot steekt raar omhoog en zijn tong hangt slap uit zijn bek.
Zo was het precies, denkt Tilly. Ze schuift een ander blaadje naar zich toe, hierop heeft ze haar eerste hoofdstuk geschreven.

1. Zo begon het

Pap en ik reden in de auto.

Het was avond en al een beetje donker.

Opeens zag ik iets zwarts liggen.

Het leek op een beest.

Remmen pap! riep ik.

We stapten uit en toen zagen we het.

Daar lag een hond in het gras.

Hij was gewond en hij jankte zacht.

Het was zo zielig, mam.

Met een zucht pakt Tilly het nietapparaat dat naast haar ligt.
'Doe je?' vraagt Mark nieuwsgierig.
'Kijk maar,' antwoordt Tilly. Ze niet de tekening en het verhaaltje met een klap aan elkaar.
'Mij doen,' zegt hij.
'Eén keer dan, maar denk om je vingers.'
Tilly ziet hoe hij het nietapparaat met twee handen vastpakt. Zonder moeite slaat hij nog een nietje door de twee blaadjes heen. Hij is sterker dan ze dacht.

Tilly legt het nietapparaat op tafel en loopt met de twee blaadjes in haar hand weg. Bij de deur kijkt ze nog even om. Mark plukt aan het harige flapoor van Bommel. Het hangt half over de rand van de mand heen. Bommel slaapt zo diep dat hij het niet eens merkt.

Tilly schuift het eerste hoofdstuk in een plastic map. Dit is het begin van haar boek, denkt ze tevreden. Later wil ze schrijfster worden of tekenaar. Ze weet nog niet wat ze leuker vindt. Misschien kan ze wel allebei gaan doen.
Beneden klinkt opeens lawaai: een rare hoge blaf, een stoel die verschuift. Tilly rent de trap af. Ze ziet dat Mark voor de lege mand zit en met het nietapparaat speelt.
'Nu moet je er afblijven,' zegt Tilly, 'anders doe je jezelf pijn.'
Als ze het apparaat uit zijn handen trekt, ruikt ze een bekend luchtje. 'Je hebt echt een vieze luier,' bromt ze, 'geen wonder dat Bommel naar buiten is gevlucht.'

Ze stopt het nietapparaat in de onderste la van de kast.
'Ommel,' brabbelt Mark.
Tilly ontdekt Bommel even later buiten onder de tuintafel. Een eindje verder ligt moeder in een ligstoel te slapen. Haar benen lijken nog bruiner door het witte, korte broekje wat ze draagt. Net daarboven loopt een vaag litteken over haar buik.
Zodra hij Tilly ziet, komt Bommel overeind. Hij pakt de oude tennisbal die naast de zandbak ligt. Vlak voor Tilly laat hij de bal in het gras vallen.
'Nee, we gaan niet spelen,' fluistert ze. Ze wil mam niet wakker maken.
Bommel blijft haar hoopvol aankijken, terwijl zijn staart heen en weer zwaait. 'Nee Bommel,' zegt Tilly weer.
Bommel geeft het op en loopt naar de moeder van Tilly toe. Hij laat de vieze, natte bal op haar schoot ploffen. Tegelijk laat hij een zware blaf horen.
Geschrokken schiet moeder overeind. 'Wat is dat?'

Als ze de tennisbal ziet, gooit ze die met een vies gezicht op de grond. Op haar witte broekje blijft een zwarte vlek achter. 'Breng dat beest naar binnen,' moppert ze.
Tilly grijpt Bommel in zijn nekvel en trekt hem mee. Als haar been per ongeluk tegen zijn kop stoot, gromt hij even. Wat is dat? denkt Tilly verbaasd, dat heeft Bommel nog nooit gedaan, maar even later is ze het alweer vergeten.

2 Een goede waakhond

Tilly heeft een hond op de achterbank van een auto getekend. Hij ligt languit op zijn zij. Tilly pakt een ander blaadje en begint te schrijven.

2. Bedankt

Heel voorzichtig legden pap en ik de hond in de auto.

Hij jankte niet meer, maar aan zijn ogen zag je dat hij pijn had.

We brengen hem naar de dierenarts, zei pap.

Ik mocht naast de hond zitten.

Ik legde mijn hand op zijn kop.

Dat vond hij fijn.

Hij likte steeds mijn hand.

Het leek alsof hij wilde zeggen: bedankt dat jullie mij willen helpen.

Dat geldt ook voor jou mam.

Tilly leest na wat ze heeft geschreven. Beneden hoort ze intussen de telefoon overgaan. Even later loopt ze de trap af en pakt het nietapparaat uit de la.
Meteen drentelt Mark op haar af, hij heeft zijn pyjama al aan. 'Mij, mij!' roept hij. Hij steekt zijn hand naar het nietapparaat uit.
'Dat had je gedacht,' zegt Tilly. 'Wie was er aan de telefoon, mam?'
Moeder zit op de bank en bladert in de krant. Bommel ligt vlakbij haar, onder de tafel.
'Het was weer zo'n raar telefoontje,' antwoordt ze, 'net als vorige week. Toen ik opnam, bleef het stil aan de andere kant van de lijn. Ik heb maar gauw opgehangen.'
'Waarom is pap zo laat?' vraagt Tilly.
'Hij moet overwerken.' Moeder slaat een blad om.
'Het is toch niet waar,' mompelt ze opeens.
'Wat is er?' vraagt Tilly.
'Ze hebben hier vlakbij ingebroken, op klaarlichte dag.'
'Wij hoeven niet bang te zijn,' zegt Tilly, 'wij

hebben Bommel, hij beschermt ons.'
Moeder kijkt op en lacht een beetje. 'Geloof je het zelf? Weet je wat ík denk?'
'Wat dan?' vraagt Tilly.
'Hij helpt de inbrekers om de spullen naar buiten te dragen.'
'Nietwaar!' roept Tilly.
Op dat moment horen ze een raar geluid: iemand rommelt aan de achterdeur. Bommel schiet overeind en begint hard te blaffen. Vlak langs Mark stormt hij de kamer uit, de gang op. Van schrik valt Mark achterover op de grond en begint te huilen.
'De deur is niet op slot,' fluistert moeder. Met een wit gezicht kijkt ze Tilly aan. Dan tilt ze snel Mark op.
Ze horen hoe de deur langzaam opengaat. 'Rustig hondje,' klinkt het even later, 'ik ben het maar.'
'Oma! roept Tilly opgelucht. Ze rent naar de keuken.
Bommel probeert tegen oma op te springen. Zo blij is hij dat hij haar ziet.

Met een lachend gezicht weert oma Bommel af.
'Ik dacht: ik kom even een kopje koffie drinken,' zegt ze.
Tilly ziet dat haar moeder met Mark op haar arm aan komt lopen.
'Bommel is een lieve hond, hè oma?' zegt Tilly snel.
'Hartstikke lief.'
'En hij is ook een goede waakhond,' gaat Tilly verder.
'Gelukkig wel,' antwoordt oma.
Tilly kijkt met een schuin oog naar haar moeder.
'Dus u vindt ook dat we hem moeten houden?'
Oma moet weer lachen. 'Daar heb ik niets over te zeggen.'
'Til, je weet wat we hebben afgesproken,' zegt moeder streng, 'we kijken het een tijdje aan, we moeten zeker weten dat het goed gaat.'
'Maar het gáát toch goed?'

'Slaapkop,' zegt Tilly als Bommel in zijn mand gaat liggen. Slapen is zijn grootste hobby, denkt

ze, dan is hij bijna niet wakker te krijgen.
'Mij ook aapkop,' brabbelt Mark.
Op zijn korte beentjes drentelt hij naar de mand toe. Hij kruipt dicht tegen Bommel aan en slaat een arm om zijn nek. Slaperig steekt hij daarna een duim in zijn mond.
Tilly en oma moeten lachen. 'Die sul vindt ook alles goed,' grinnikt oma.
'Ik heb het liever niet,' mompelt moeder, 'zo'n grote hond, en die scherpe tanden.'
'Omdat je zelf bang bent van honden,' zegt oma, terwijl ze haar hoofd naar Tilly draait. 'Ze is als kind door een hond gebeten.'
Tilly moet aan het litteken op haar moeders buik denken.
'Ik heb nu geen zin om daarover te praten,' bromt moeder. Ze knikt naar het nietapparaat dat Tilly nog steeds vasthoudt. 'Laat dat niet rondslingeren, ik heb het al een paar keer van Mark afgepakt.'
Tilly staat op. 'Ik heb het boven nodig.'
Net als ze weg wil lopen, hoort ze een diep

gegrom. Tilly verstijft van schrik als ze ziet hoe Bommel zijn tanden heeft ontbloot. In paniek vliegt moeder overeind, in twee tellen is ze bij de mand. Ze tilt Mark met een ruk omhoog. 'Dat bedoel ik nou,' hijgt ze.

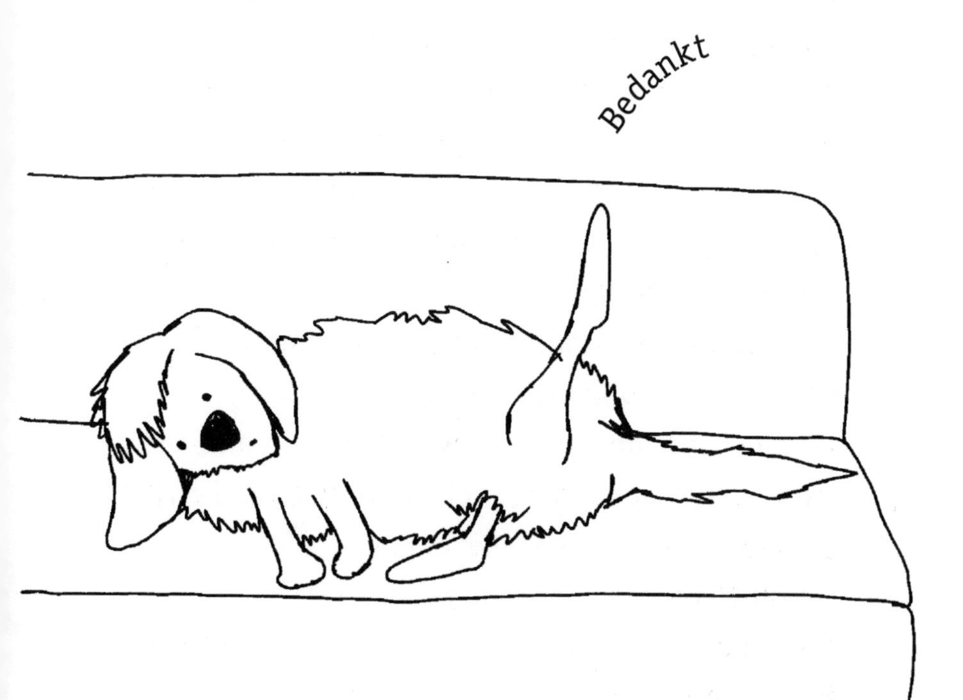

3 Zeehondje

Tilly en moeder lopen langs de rand van de zwemplas. Zo vroeg is er nog niemand in het water. Behalve dan twee jongens die vlakbij in een rubberbootje ronddobberen. Bommel draait vrolijk om Tilly en haar moeder heen. In zijn bek houdt hij de oude tennisbal vast. Pap vond het wel een goed idee dat zij en mam samen Bommel gingen uitlaten, denkt Tilly. Hij hoopt natuurlijk ook dat mam Bommel aardig gaat vinden.
Bommel laat de bal voor de voeten van moeder vallen. Hij gaat keurig rechtop in het zand zitten en kijkt haar vol verwachting aan.
'Je moet gooien,' zegt Tilly.
Haar moeder schudt haar hoofd. 'Straks springt hij nog tegen mij op.'
Tilly raapt de bal op en gooit hem in het water,

meteen stormt Bommel erachteraan. Van zijn gebroken poot is niets meer te merken, terwijl het niet eens zo lang geleden is.
'Moet je hem zien zwemmen!' roept Tilly.
Als Bommel in de buurt van het bootje komt, beginnen de jongens water naar hem te gooien.
'Kijk dan, een zeehond!' roept de kleinste.
'Je bent zelf een zeehond!' roept Tilly terug.
Druipnat komt Bommel met de bal in zijn bek terug. Als hij zich uitschudt, springt moeder lachend opzij. Bommel laat de tennisbal weer in het zand vallen.
'Het is jammer dat ik niet zover kan gooien,' zegt Tilly. Ze kijkt haar moeder schuin aan.
'Goed, één keer dan.' Moeder bukt en grijpt de bal. Even later zeilt de bal met een grote boog door de lucht.

Tilly en moeder zitten naast elkaar in het zand. Ze leunen achterover, terwijl Bommel hijgend aan hun voeten ligt, zijn lange haren kleven door het natte zand aan elkaar.

'Wat is Bommel eigenlijk een leuke hond, hè?' zegt Tilly.
'Je bent net als je vader,' antwoordt haar moeder, 'die zegt dat ook elke keer.'
Tilly weet dat haar vader ook gek is op honden. Vroeger als jongen wilde hij al dolgraag een hond hebben, maar dat kon niet in dat kleine flatje waar ze woonden.
'Weet je, zoals we nu zitten...,' begint moeder, maar ze stopt met praten.
'Wat bedoel je?' vraagt Tilly.
'Zo zaten oma en ik ook,' zegt haar moeder zacht, 'op het strand. Ik was nog een meisje, niet veel ouder dan jij. Ik wou net opstaan om naar de zee te lopen. Op dat moment loopt een man met een hond vlak langs mij. Misschien schrok dat beest, ik weet het niet, in ieder geval sprong hij opeens grommend op mij af. Oma probeerde hem nog af te weren, maar toen had hij mij al in mijn buik gebeten.'
Dus zo is het gegaan, denkt Tilly. 'Zoiets zou Bommel nooit doen,' zegt ze snel.

'Ik weet het niet,' mompelt moeder, 'zoals Bommel gisteren deed.'
'Misschien heeft Mark hem per ongeluk pijn gedaan,' zegt Tilly. Ze pakt de tennisbal die vlak naast haar ligt. Bommel kijkt nieuwsgierig toe. Hij ziet hoe Tilly de bal op moeders buik legt, precies op de plek van het litteken.
'Waarom doe je dat?' vraagt haar moeder.
Ze wil de bal weggooien, maar Tilly pakt haar arm vast. 'Ik beloof je dat er niks engs gebeurt. Ik wil graag dat je niet meer bang bent voor Bommel.'
Haar moeder zucht diep, maar ze laat de bal liggen.
'Kom maar,' zegt Tilly tegen Bommel, 'pak de bal dan.'
De hond komt langzaam overeind. Met de tong uit zijn bek komt hij aarzelend dichterbij. Moeder kijkt bang naar zijn grote, witte tanden.
'Goed zo, mam,' moedigt Tilly haar aan, 'niks doen, gewoon blijven liggen.'
Maar als Bommel met zijn kop naar voren buigt, raakt haar moeder opeens in paniek. Met een wild

gebaar pakt ze de bal en smijt hem ver weg. De bal zeilt in de richting van het water, precies tegen de rand van het rubberbootje aan. Bommel stuift er blaffend achteraan en plonst het water in.

Een van de jongens vist de tennisbal snel uit het water. 'Bedankt!' roept hij, terwijl hij de bal in de lucht houdt.

Bommel zwemt recht op het bootje af. Als hij vlakbij is, zwaait de jongen plagerig met de bal voor zijn neus heen en weer. 'Pak dan, zeehondje!'

Opgewonden richt Bommel zich op, zodat zijn voorpoten op de rand van het bootje komen. Meteen helt het bootje naar een kant over. De jongens verliezen hun evenwicht en beginnen wild met hun armen te zwaaien, even later tuimelen ze een voor een het water in. Alsof er niets is gebeurd, zwemt Bommel intussen met de bal in zijn bek terug.

'Zo doen zeehondjes dat!' roept Tilly. Met een schuin oog ziet ze hoe moeder ligt te schudden van het lachen. Dan begint ze vanzelf mee te doen.

'Avonds zit Tilly op haar kamer. Ze denkt na over de eerste zin die ze op wil schrijven. Opeens weet ze het, daarna volgt de rest vanzelf.

3. Bij de dierenarts

Papa legde uit wat er was gebeurd.

Daarna onderzocht de dierenarts de hond heel lang.

Zijn poot is gebroken, zei ze, en twee ribben.

Zijn kop heeft ook een flinke klap gehad.

Kan hij nog beter worden? vroeg ik.

Dan moet ik hem meteen opereren, antwoordde de dierenarts. Maar wie betaalt dat?

Het is een dure operatie en we weten niet wie zijn baasje is.

Misschien kan ik hem beter in laten slapen, zei ze.

We keken elkaar aan, pap en ik.

Ik moest bijna huilen.

Ik betaal het, zei hij toen, ik weet zeker dat mama het ook goed vindt.

Tilly pakt een ander blaadje om een tekening te maken. Ze tekent Bommel op de tafel van de dierenarts. Hij ligt heel stil, met zijn poot omhoog. Maar hij kijkt niet meer zo bang, alsof hij weet dat alles nu goed komt.

4 Geknakte bloemen

Tilly kijkt op als ze een bekend fluitje hoort. Aan de overkant van het pleintje staat haar vader te wenken. 'Kom je eten?'
Tilly laat zich van het klimrek zakken, vanaf de laatste stang springt ze naar beneden.
'Zag je dat?' vraagt ze trots aan Bobbie, haar buurjongen.
Hij staat een eindje verder met zijn nieuwe bal te stuiteren. Maar Bobbie keek een andere kant op, aan de overkant reed keihard een grote glimmende motor voorbij.
'Wat zei je?' vraagt hij.
'Of je dat zag.'
'Ja, mooi ding hè? Later wil ik ook zo'n motor, een Harley.'
Boos kijkt Tilly omhoog naar Bobbie. 'Ik bedoel

die stomme motor helemaal niet, ik bedoel... nou ja, laat ook maar.'
Zonder om te kijken rent ze naar haar vader toe. Als ze bij hem is, grijpt ze zijn hand. Bobbie volgt hen op een afstand.
Op de hoek van hun straat zit een jongen op zijn brommer te wachten. Tilly heeft hem daar wel eens eerder gezien. Ze herkent hem aan zijn zwarte helm met de gele bliksemschicht.
'Denk je dat het lukt pap?' vraagt Tilly als ze hem gepasseerd zijn.
'Wat bedoel je?'
'Nou, dat mam Bommel ook wil houden.'
'Ik denk dat het wel goed komt,' antwoordt vader. Tilly knijpt even in zijn hand. 'Ik heb een verrassing voor haar,' zegt ze, 'voor haar verjaardag. Het heeft met Bommel te maken, maar verder is het nog geheim.'

Voor het hekje van de achtertuin staat Bommel kwispelend te wachten. Tilly let niet meer op Bobbie die vlak achter haar naar zijn eigen tuin

loopt. Als ze het hekje openmaakt, springt Bommel tegen haar op, hij piept en hij probeert haar in het gezicht te likken.
'Rustig aan, hondje!' roept Tilly lachend.
Bommel is zo blij dat hij rondjes over het gazon begint te rennen. Maar hij rent zo hard dat hij uit de bocht vliegt, op zijn rug komt hij tussen de bloemen terecht, die door zijn gewicht omknakken.
'Als je moeder dit merkt, is het mis,' mompelt vader.
Door het glas van de deur ziet Tilly haar in de keuken staan, met haar rug naar hen toe. Ze zal meteen begrijpen dat het Bommels schuld is, denkt Tilly. Ze kijkt naar de hond die nu naast haar in het gras ligt. Aan de andere kant van de schutting hoort ze Bobbie met zijn bal stuiteren. Ze krijgt opeens een idee. 'Jammer van die bal hè, Bobbie?' zegt ze.
Het is even stil. 'Hoe bedoel je dat?' vraagt hij dan achterdochtig.
'Nou, dat hij eigenlijk te zwaar en te groot voor

je is.' Ze trekt zich niets aan van het verbaasde gezicht van haar vader.
'Ik ben geen meissie zoals jij!' roept Bobbie boos.
Tilly begint een beetje spottend te lachen. 'O, nee? Ik wed dat jij die bal niet over kan gooien.'
Het is eerst weer even stil. 'Daar is niks aan,' antwoordt Bobbie dan stoer, 'let maar op.'
Even later vliegt de bal met een boog over de schutting. Niet ver van de geknakte bloemen stuitert hij op de grond.

Op dat moment gaat de keukendeur open. 'Jullie zijn net op tijd voor...' Tilly ziet hoe moeder van de geknakte bloemen naar de bal kijkt en weer terug.
'Bobbie gooide zijn nieuwe bal over de schutting,' zegt Tilly, 'maar hij deed het niet expres.'
Moeder draait zich meteen weer om en loopt hoofdschuddend naar binnen.
'Wat is er?' vraagt Bobbie.
'Niets,' antwoordt Tilly, 'hier komt je bal weer.' Ze

gooit hem met een grote boog terug.
Als ze naar de deur lopen, springt Bommel voor hun voeten heen en weer. 'Je bent een gekke hond,' zegt vader, 'bijna net zo gek als Tilly.' Hij wrijft met twee handen stevig over zijn flaporen. Bommel begint met een diep keelgeluid te grommen. Opeens probeert hij in een van de handen te bijten. Vader kan hem nog net op tijd wegtrekken. 'Wat heeft Bommel?' vraagt hij geschrokken.

Na het eten gaat Tilly meteen naar boven om het volgende hoofdstuk te maken. Het duurt niet lang meer voordat moeder jarig is. Ze tekent een hond die op een deken ligt, op zijn kop heeft hij een plastic kap en zijn achterpoot zit van onder tot boven in het verband.

4. De operatie

De volgende dag haalden pap en ik de hond op.

Ik knielde bij hem neer en aaide over zijn neus.

Meteen kreeg ik een lik over mijn hand.

Hij is nog een beetje suf, zei de dierenarts.
Maar de operatie is goed gegaan.
Ik zal heel goed voor hem zorgen, zei ik.
Dat geloof ik, antwoordde de dierenarts.
Ze aaide even over mijn hoofd, alsof ik zelf een hondje was.
Toen we thuiskwamen, was jij niet zo blij mam.
Jij houdt niet zo van honden, hè?
Maar je vond het toch goed dat de hond bij ons kwam wonen.
Al is het misschien niet voor altijd.
Ik hoop natuurlijk wel voor altijd, heel erg.

5 Enge jongen

Met een peinzende blik in haar ogen staart Tilly naar buiten. Op het bureau voor haar ligt een vel papier. Papa heeft gisteren niets tegen mam gezegd over Bommel, denkt ze, dat was aardig van hem.
Toch heeft ze een naar gevoel vanbinnen. Tilly snapt niet waarom Bommel zo boos tegen hem deed en probeerde te bijten. Na een diepe zucht begint ze te schrijven.

5. Bommel

Pap en ik lieten de hond voor het eerst uit.

Hij hinkte op drie poten, maar het ging.

Zijn kap zwaaide bij elke stap heen en weer.

In bed heb ik over een naam nagedacht.

Bommel, schoot me opeens te binnen.

Pap zei dat hij een advertentie in de krant had laten zetten.
Wie is zijn hond kwijt, zwart met lang haar?
We gingen terug zonder dat Bommel had geplast.
Bij de auto van buurman Elling bleef hij staan.
We merkten te laat dat hij zijn poot met het verband optilde.
Even later was het achterwiel helemaal nat.
Dat deed Bommel speciaal voor jou mam.
Omdat jij de buurman niet aardig vindt.

Met een glimlach begint Tilly te tekenen: eerst een groot achterwiel en dan Bommel met zijn poot omhoog. Ze weet wel waarom haar moeder de buurman niet aardig vindt, hij klaagt altijd, vooral als Mark lawaai maakt. Onder het tekenen kijkt Tilly af en toe naar buiten. Op de hoek zit die jongen weer op zijn bromfiets. Zou hij op een meisje uit de straat verliefd zijn? vraagt Tilly zich af.
Als de tekening af is, schuift ze haar stoel naar achteren. Het is tijd om Bommel uit te laten.

Vrolijk loopt Bommel aan de riem mee naar buiten. Tilly ziet dat de jongen nog steeds op zijn bromfiets zit te wachten. Ze vindt hem een beetje eng met die zwarte helm op zijn hoofd.
Zoals elke dag loopt ze met Bommel naar het park. Tilly steekt de weg langs het grote grasveld over, daar bukt ze zich om de halsband los te maken, zodat Bommel lekker een tijdje kan rennen. Ze kijkt rond of ze een stok ziet waarmee ze kan gooien.
Op dat moment ziet ze aan de overkant van de weg iemand staan. Het is een lange jongen met een zwarte helm op zijn hoofd. Zonder zich te bewegen, staart hij haar aan. Geschrokken maakt Tilly Bommels halsband snel weer vast. 'Hij moet me gevolgd zijn,' zegt ze zacht, 'ik snap er niks van.'
Ze trekt Bommel snel met zich mee. Over het pad loopt ze verder het park in. Pas bij een splitsing durft ze om te kijken. Opgelucht haalt Tilly adem als ze hem niet meer ziet.
'Niets aan de hand,' zegt Tilly tegen Bommel,

'stom hè?' Ze moet om zichzelf glimlachen.
Ze glimlacht nog steeds als opeens de jongen lopend om de bocht verschijnt. Hij heeft de helm nog steeds op zijn hoofd. 'Wacht!' roept hij met een zware stem.
Op hetzelfde moment gilt Tilly, heel kort, dán rent ze weg, zoals ze nog nooit heeft gerend. Bommel draaft opgewonden mee, hij begrijpt er niets van. Aan de vlugge voetstappen achter

haar, hoort Tilly dat de jongen ook rent. In paniek vliegt ze over de kleine brug heen. Nu is ze helemaal aan de andere kant van het park. Tilly durft niet om te kijken, maar ze hoort dat hij vlak achter haar is. Nog even en dan is ze bij de parkeerplaats van het winkelcentrum.

Hijgend zit Tilly met Bommel in een pashokje. Ze heeft het gordijntje dichtgetrokken. Vlak voordat hij haar inhaalde, schoot Tilly de grote winkel in. Langs rekken met kleren vluchtte ze naar de pashokjes. Hier zit ze veilig, denkt ze.
Na een tijdje kijkt ze door een kier van het gordijn. Ze ziet alleen wat dames die kleren willen passen. 'Ik ben zo terug,' fluistert Tilly tegen Bommel, 'blijf.'
Ze sluipt het pashokje uit tot aan het eind van het gangpad, daar speurt ze om zich heen. Het is druk in de winkel, maar die jongen is verdwenen. Op dat moment begint een vrouw achter haar te krijsen. Het gordijn voor een van de pashokjes beweegt wild heen en weer.

‘Af,’ gilt een stem, ‘laat los!’
Tilly ziet de punt van een staart naar buiten steken. Ze haast zich naar het pashokje toe. Door een kier ziet ze een mevrouw met blote benen. Ze trekt aan het uiteinde van een rok. Bommel houdt het andere uiteinde stevig in zijn bek, tegelijk schudt hij grommend zijn kop heen en weer.
‘Bommel foei!’ roept Tilly, ‘ik zei dat je moest blijven. Die mevrouw wil niet met jou spelen.’
‘Natuurlijk wil ik niet met dat stomme beest spelen!’ scheldt de vrouw. ‘Haal die hond hier weg!’
Bommel laat onverwacht het rokje los, zodat de mevrouw bijna achterovervalt. Meteen trekt Tilly hem aan de riem het pashokje uit. Ze moet zo snel mogelijk hier weg.
Buiten voor de winkel blijft Tilly even staan. Zal ik door het park naar huis gaan, vraagt ze zich af, of kan ik beter een omweg nemen? Ze is bang dat die jongen ergens in het park op haar wacht.
Tussen de winkelende mensen door staart ze

peinzend voor zich uit. Opeens voelt ze een steek in haar maag: daar zit de jongen, vlak voor haar, op dat stenen bankje. Met zijn ellebogen op zijn knieën staart hij naar de grond.
Tilly trekt Bommel met een ruk weer mee de winkel in. 'We nemen de andere uitgang,' fluistert ze. 'Wat wil die engerd van mij?'

6 Bommel heeft spijt

Tilly staat nog snel een plakje cake naar binnen te werken. Ze wil zo naar boven om het volgende hoofdstuk af te maken.
Intussen kijkt ze naar de grijze bos haar van tante Ko dat met spelden in een rare knot is vastgemaakt. Ze praat heel hard en ze lacht heel stom. Maar het ergste is nog dat ze een hekel aan honden heeft.
Bommel ligt op een soort bot te kauwen dat mam voor hem heeft gekocht. Aan de uiteinden is het nat en zacht geworden. Tilly moet opeens weer aan die enge jongen van gisteren denken, vannacht kon ze er bijna niet van slapen, zo bang had hij haar gemaakt. Toch heeft ze niets tegen pap en mam gezegd. Ze denken vast dat ze teveel fantasie heeft.

'Hoe gaat het met de hond?' vraagt tante Ko opeens aan moeder.
Tilly is benieuwd wat ze gaat antwoorden.
'Het begint te wennen.'
'Jullie houden hem toch niet?' vraagt tante Ko als ze de schotel met de plak cake pakt.
Tilly ziet dat haar moeder even aarzelt met antwoord geven.
'We hebben afgesproken het een tijdje aan te kijken,' zegt ze. 'Het gaat wel goed, maar...' Ze stopt even en haalt haar schouders op. 'We zien nog wel.'
Bommel staat op en gaat vlak voor tante Ko zitten. Met zijn ogen volgt hij begerig de cake die hapje voor hapje in de mond van tante Ko verdwijnt.
'Dit is niet goed voor hondjes,' zegt tante Ko, 'ga maar weg.'
Bommel lust alles, denkt Tilly, vooral jonge kaas. Dat is eigenlijk wel een beetje gek. Ze ziet dat tante Ko de lege schotel terugzet, maar Bommel blijft gewoon zitten.

Met haar schoen probeert tante Ko hem weg te duwen. 'Straks kwijl je nog op mijn rok,' zegt ze bekakt. 'Ik vind hondjes een beetje vies.'
Met een boos gezicht staat Tilly vlak achter haar. Aan haar handen kleven nog wat kruimels van haar eigen plakje cake. Ongemerkt laat ze die op de grijze bos haar vallen, alleen Bommel ziet het gebeuren. Gulzig zet hij zijn voorpoten op de schoot van tante Ko en rekt zich uit. Tante Ko laat een hoog gilletje horen.
'Bommel, wat doe je nou?'roept Tilly. Gelukkig kan tante Ko niet zien dat ze grijnst.

Mark zwaait vrolijk met het nietapparaat boven zijn hoofd. 'Ommel pele?' brabbelt hij. Hij loopt in de richting van de hond.
'Dat is toch geen speelgoed, Mark,' zegt tante Ko. Bommel kruipt weg achter haar stoel. Tilly merkt hoe bang Bommel opeens is. Hij is de laatste tijd anders dan anders, denkt ze, al weet ze niet precies wat het is.
'Mark geef hier,' zegt haar moeder streng. Ze

steekt haar hand naar hem uit, maar Mark doet alsof hij doof is.
Als hij vlakbij Bommel is, houdt tante Ko hem tegen. 'Dat mag toch niet,' zegt ze, 'straks komt je vingertje er nog tussen.'
'Ommel pele,' zegt Mark weer.
Hij probeert onder de arm van tante Ko door te kruipen. Tilly ziet hoe de ogen van Bommel schuin wegdraaien, hij begint dreigend te grommen. Voordat Tilly iets kan roepen, bijt hij met een grauw naar Marks hand. Meteen begint Mark als een speenvarken te gillen. Moeder vliegt overeind en probeert hem te troosten, intussen bekijkt ze bezorgd zijn hand.
Tilly ziet de tandafdrukken aan de zijkant van zijn hand. Ze zijn niet erg diep, Bommel heeft niet echt doorgebeten.
'Het is meer de schrik,' zegt ze.
'Dat beest lijkt wel vals!' roept tante Ko.
Tilly gluurt achter de stoel van tante Ko naar Bommel die helemaal in de hoek is weggekropen. Hij ligt als een zeehond met zijn kop plat op de

grond, met een schuldige blik kijkt hij naar Tilly omhoog.

'Bommel,' fluistert ze, 'kom eens hier.'

Bommel spitst zijn harige flaporen, maar hij komt niet. Zonder na te denken gaat Tilly op haar knieën bij hem zitten. Ze duwt haar hoofd tegen zijn kop aan en aait hem zachtjes.

'Tilly, ben je nu helemaal gek geworden!' roept haar moeder, 'straks bijt hij jou ook nog.'
'Bommel bijt mij niet,' antwoordt Tilly, 'hij heeft er spijt van.'

Tilly hoort dat beneden de voordeur opengaat. Meteen daarna hoort ze de stem van haar vader die thuiskomt. Nu gaat mam alles over Bommel vertellen, denkt ze, als ze maar niet overdrijft, zo erg was het niet.
Ze schuift de tekening opzij. Bommel heeft nog steeds die rare kap op zijn kop, hij staat aan zijn nieuwe mand te snuffelen. Tilly heeft geen zin om veel op te schrijven.

6. De nieuwe mand

Jij wilde eerst geen mand kopen, mam.

Dat vond je zonde van het geld.

Hij kan wel op een oude deken slapen, zei je.

Misschien blijft hij maar kort hier.

Dat vond ik zielig.

Toen heb ik al het geld uit mijn spaarpot gepakt.

Maar het was lang niet genoeg.

Toen ik uit school kwam, stond er opeens toch een nieuwe mand.

Die had jij als verrassing gekocht.

Heel aardig van jou mam, superaardig.

Dat was ik toen vergeten te zeggen.

7 Mijn hond

Als Tilly haar jas aantrekt, zit Bommel al voor de deur. 'Je kunt niet mee,' zegt ze, 'ik moet een boodschap doen.'
Moeder loopt nog in haar ochtendjas. 'Het is die fles met de groene dop,' legt ze uit.
Tilly knikt en pakt de deurknop vast, met haar knie duwt ze Bommel opzij. 'Jij blijft hier,' beveelt ze.
Teleurgesteld begint Bommel hard te blaffen. Tilly ziet dat mam van schrik even terugdeinst.
'Mam, het was een ongelukje van Bommel, dat bijten. Dat weet je toch?'
'Ik betwijfel het,' antwoordt moeder.
'Wat zegt papa ervan?' vraagt Tilly ongerust.
'We hebben gisteravond lang gepraat. Papa wil Bommel nog één kans geven, als het weer

gebeurt, moet hij echt weg, Tilly.'
Tilly hurkt bij Bommel neer en aait hem over zijn borst. Met zijn bruine ogen kijkt hij haar onschuldig aan.
'Doe het alsjeblieft nooit meer,' zegt ze.

Tilly let niet zo goed op als ze de stille straat uit fietst, ze is met haar gedachten heel ergens anders. Gelukkig is er zo vroeg in de ochtend nog maar weinig verkeer. Alleen ver achter haar klinkt het geknetter van een brommer. Over een paar dagen is mam jarig, denkt ze, dan geeft ze haar het boek over Bommel.
Tilly kiest de kortste weg naar het winkelcentrum. Het geknetter van de brommer komt langzaam dichterbij. Eerst merkt Tilly het niet, maar bij een volgende bocht kijkt ze even over haar schouder. Van schrik rijdt ze bijna tegen een lantaarnpaal aan. De bromfietser is vlak achter haar. Hij draagt een zwarte helm met een gele bliksemschicht.
'Laat me met rust,' fluistert ze.
Ze begint zo wild te trappen dat ze over de weg

slingert, haar hart bonkt als een razende in haar keel. Maar ze kan het niet winnen van een bromfiets. Hij komt vlak naast haar rijden. Opeens stuurt hij naar rechts, zodat hij haar afsnijdt. Ze moet hard remmen om niet tegen hem op te botsen. Vlak tegen de stoeprand komt ze tot stilstand.
Langzaam zet de bromfietser zijn helm af. Het gezicht van een magere jongen komt tevoorschijn, zijn blonde haar is plat op zijn hoofd gedrukt. Hij slaat zijn armen over elkaar en wacht even. 'Die hond van jou,' zegt hij dan, 'dat is eigenlijk mijn hond.'
Tilly staart hem aan, ze begrijpt hem niet.
'Beer is weggelopen toen mijn...' De jongen lijkt even over zijn woorden na te denken. 'Dat gaat jou verder ook niks aan, in ieder geval was hij opeens verdwenen.'
'Ik ken geen Beer,' antwoordt Tilly, 'je moet in de war zijn met iemand anders. Mag ik nu verder gaan?'
In de verte komt een meisje over de stoep

aanfietsen. Achterop de fiets hangt een tas vol met kranten. Tilly kent haar wel, ze bezorgt de krant ook bij hen. Ze zeggen dat ze niet goed bij haar hoofd is, van haar hoeft ze geen hulp te verwachten.
De jongen trekt zwijgend de ritssluiting van zijn jas naar beneden. Hij steekt zijn hand in zijn binnenzak, het volgende moment duwt hij een foto in haar hand.
'Wie is dit dan?'

Met grote ogen staart Tilly naar de foto. Ze herkent de jongen die lachend op de grond ligt. Een zwarte harige hond staat met zijn voorpoten op zijn borst. Het kan niet missen, dit is Bommel. De jongen buigt zich met een boos gezicht naar haar toe. 'Nou,' sist hij, 'ken je die hond of niet?'
Tilly deinst zover achteruit dat ze bijna omvalt. Het meisje op de fiets is nu vlakbij. Haar tas hangt open, zodat ze de kranten kan zien. Op het moment dat ze vlak langs haar fietst, steekt Tilly haar arm uit. Ze laat de foto vlug in de fietstas vallen.
'Wat doe je nou,' schreeuwt de jongen, 'ben je achterlijk of zo?' Hij springt van zijn brommer af en duwt hem op de standaard. Dan begint hij achter het krantenmeisje aan te rennen. 'Stoppen jij!' schreeuwt hij een paar keer.
Het meisje kijkt geschrokken achterom. Als ze hem ziet, begint ze alleen maar harder te trappen. Ze is zo bang dat ze de brievenbussen voorbijrijdt. Tilly is dan al bijna om de hoek verdwenen.

Onder het tekenen moet Tilly steeds aan die jongen denken. Eerst geloofde ze hem niet, totdat ze die foto zag. Toen móest ze hem wel geloven.
Is Bommel weggelopen en toen aangereden? Wil hij nu zijn hond weer terug? Al die vragen brengen haar in de war.
Ze tekent Bommel rechtop in zijn mand, een lange arm wijst naar hem. De rest staat er niet op, omdat ze het moeilijk vindt om mensen te tekenen. Daarna schrijft ze het volgende hoofdstuk op.

7. Bezoek

Een meneer had opgebeld.

Hij was al een hele tijd zijn hond kwijt.

Toen de bel ging, schrok ik.

Ik dacht: misschien is Bommel echt zijn hond.

Misschien neemt hij hem meteen mee.

Zodra hij binnenkwam, begon Bommel boos te blaffen.

Dat was een goed teken.

De meneer wees naar hem.

Die? zei hij, hij lijkt er niet op,
mijn hond is veel kleiner.
En het puntje van zijn staart is wit.
Ik ben nog nooit zo blij geweest.
Volgens mij vond je het ook fijn, mam.
Ik zag het aan je gezicht.

8 Die hond moet weg

Onderweg van school naar huis denkt Tilly weer aan gisteren. Ze hoopt dat ze die rare jongen nooit meer ziet. Ze wil hem het liefst vergeten.
Als Tilly even later thuis aanbelt, gebeurt er niets. Het valt haar op dat zelfs Bommel niet blaft. Zouden ze niet thuis zijn? Dat is raar. Tilly belt nog een keer. Daarna gluurt ze door de brievenbus naar binnen, maar het blijft akelig leeg in de gang.
Met een raar gevoel in haar buik loopt Tilly achterom. Voor alle zekerheid voelt ze aan de keukendeur, ze valt bijna achterover als de deur opeens openzwaait. Waarom zit hij niet op slot? vraagt ze zich geschrokken af. Aarzelend loopt Tilly naar binnen. Ze wist niet dat het zo stil kon zijn in huis. Middenin de woonkamer blijft ze

staan. Op de kleine tafel staat een kopje waar nog thee in zit, een van de stoelen staat scheef waardoor het vloerkleed een beetje is opgeschoven. Tilly krijgt het gevoel dat haar moeder en Mark in grote haast zijn vertrokken. Opeens ziet ze Bommel liggen, weggekropen in de hoek naast de boekenkast.
'Hé Bommel!' roept ze, 'waarom kom je niet naar me toe?'
Bommel tilt traag zijn kop op, maar verder verroert hij zich niet.
'Ben je ergens van geschrokken?' Tilly loopt naar hem toe en gaat naast hem zitten. Intussen aait ze zacht over zijn harige vacht, met een knorrend geluid laat Bommel zijn kop zakken.
'Is alles nu weer goed?' vraagt Tilly zacht.
Ze voelt medelijden met Bommel, al weet ze niet precies waarom. Ze strekt zich uit en legt haar hoofd op zijn rug. Nu ze zo ligt, merkt Tilly pas hoe moe ze is. Ze heeft vannacht weer niet veel geslapen, ook toen moest ze steeds aan die jongen denken, ze is bang dat hij Bommel van

haar af wil pakken. Maar het zal hem niet lukken, het zal niemand lukken.
Tilly gaapt, terwijl ze zich tegen Bommel aandrukt. Hij is warm en zijn vacht is zacht. Langzaam zakt ze weg in een diepe slaap.

Tilly droomt dat ze op een koude stenen vloer ligt. Het is de vloer van een enorme zaal met dikke, hoge muren. Alleen door een paar kleine ramen bovenin valt wat licht. Ze probeert Bommel te beschermen tegen de aanvallen van vreemde, vliegende wezens. Ze durft niet goed te kijken, zo eng zien ze eruit. Maar af en toe vangt ze toch een glimp van hen op. Ze lijken op kleine spoken met witte gezichten zonder ogen.
Om de beurt duiken ze op haar af. Ze rukken aan haar mouwen en aan haar broekspijpen. Tilly begrijpt heel goed wat ze van plan zijn: ze willen haar wegtrekken om Bommel mee te kunnen nemen. Dat zal ze nooit laten gebeuren, hoe bang ze ook is. Tilly heeft haar armen om Bommel heen geslagen.

'Tilly,' klinkt het ergens boven haar, 'Tilly, laat los!'
'Ga weg!' gilt ze.
Ruw trekt iemand aan haar enkel. Tilly begint in paniek om zich heen te trappen, maar het wezen blijft haar stevig vasthouden.
'Rotspook!' schreeuwt ze met overslaande stem.
Tilly knippert bang met haar ogen. Een paar meter van haar vandaan staat een klein spookje. Hij heeft een lange broek aan en een rode trui. Op een van zijn wangen zit een grote, witte lap.
'Mark?' vraagt Tilly slaperig.
Ze doet haar ogen verder open. Nu ontdekt ze ook het andere spook. Hij lijkt op haar moeder en hij trekt nog steeds aan haar enkel. Dan merkt Tilly dat ze zich aan Bommel heeft vastgeklemd. De hond kijkt haar aan alsof hij er niets van begrijpt.
'Laat alsjeblieft los,' smeekt haar moeder, 'straks neemt hij jou ook te grazen.'
Wat bedoelt ze? vraagt Tilly zich af. Maar dan beginnen er langzaam dingen tot haar door te

dringen. Met een ruk gaat ze rechtop zitten. 'Wat is er gebeurd?'
'Ommel au,' piept Mark. Hij doet een paar stapjes achteruit.
'Dat valse monster.' Het lijkt of moeder haar woorden uitspuugt. Ze wijst met een trillende vinger naar Bommel. 'Mark was weer eens bij hem in de mand gekropen. Ik had dat niet zo snel in de gaten. Opeens gaf dat beest een grauw en beet hij in de wang van dat arme kind.'
Tilly kijkt naar Marks wang. 'Was het echt zo erg?'
'Wat denk je dan?' vraagt mam. 'Denk je dat we voor de grap meteen naar de dokter zijn gegaan? Het moest gehecht worden.' Ze staart Tilly met felle ogen aan. 'Die hond moet weg, dat begrijp je zeker wel?'

Tilly kijkt naar haar tekening. Bommel staat met twee voorpoten op de bank. Je kunt zien dat hij iemand likt.
Het verhaal dat erbij hoort, is ook al klaar. Ze leest het nog een keer door.

8. Lik op je neus

Weet je nog mam, dat de kap van Bommel af mocht?

Die dag was je na het eten heel moe.

Je had net Mark naar bed gebracht.

Je ging daarna even op de bank liggen en je viel meteen in slaap.

Bommel gaf toen opeens een natte lik op je neus.

Jij dacht dat het pap was.

Hou op Paul, bromde je.

Hij vond je echt aardig, Bommel bedoel ik.

En dat is nog steeds zo.

Ook al vind je hem vals.

9 Dag beer!

Tilly zit aan de rand van de vijver, met Bommel vlak naast haar. Hij kijkt de steentjes na die ze in het water gooit.
Maar Tilly let niet op hem, eigenlijk let ze nergens op. Ze denkt aan wat pap net heeft verteld. Hij had de dierenarts gebeld en uitgelegd wat er was gebeurd. Dat is niet best, zei de dierenarts, misschien komt het toch door dat ongeluk of is hij vroeger mishandeld. Het is moeilijk, zei ze, maar u kunt hem het beste laten inslapen. Je weet nooit of het nog eens gebeurt.
Toen Tilly dit hoorde, was ze met Bommel hard weggerend.
In de verte klinkt een hoog, schril fluitje. Tilly merkt niet dat Bommel zijn oren spitst. Als het fluitje opnieuw klinkt, komt Bommel overeind.

Tilly schrikt als hij opeens hard wegrent.
Ze ziet hoe hij op een lange jongen afstormt. Hij staat aan de andere kant van het grasveld, met een helm onder zijn arm. Bommel springt wild tegen hem op. Even later rollen ze samen over de grond. Tilly hoort hem lachen en roepen. Vanbinnen voelt ze een steek van jaloezie.
Na een tijdje loopt de jongen met Bommel haar kant op. Tilly doet alsof ze hem niet ziet, ze heeft zich snel omgedraaid.
'Hoi,' zegt de jongen. Hij hurkt naast haar neer, terwijl Bommel tussen hen in kruipt.
'Ben je me weer gevolgd?' vraagt Tilly zonder op te kijken. Vreemd genoeg vindt ze hem nu niet meer zo eng.
De jongen doet alsof hij haar vraag niet heeft gehoord. 'Ik was bang dat Beer niks meer van me wilde weten,' zegt hij. Hij klopt even op Bommels rug. 'Of dat hij me was vergeten.'
Was dat maar waar, denkt Tilly, of misschien toch niet? Ze moet opeens aan iets denken.
'We wonen op een boerderij,' vertelt de jongen

verder. 'Beer is eigenlijk mijn hond. Op een dag was hij met zijn modderpoten de kamer ingelopen. Mijn vader wilde hem wegsturen, maar Beer luisterde niet naar hem. Hij luistert eigenlijk alleen naar mij.'
'En naar mij,' vult Tilly snel aan.
'Ik zat op de bank,' gaat de jongen verder, 'het was vlak voor het eten. Beer sprong vrolijk naast mij op de bank. Mijn vader werd zo boos dat Beer geen eten mocht hebben. Dat is heel erg voor hem, want hij is een echte vreetzak.'
'Dat weet ik,' zegt Tilly met een glimlach.
'Beer snapte er natuurlijk niks van,' vertelt de jongen. 'Toen wij gingen eten, liep hij maar te bedelen. Maar ik mocht hem niks geven van mijn vader. Na het eten stonden we op om de boel af te ruimen. Opeens zagen we dat Beer op tafel was gesprongen. Hij stond de grote pan uit te likken. Mijn vader werd zo woest dat hij Beer bij zijn oor vastgreep, hij wilde hem zo van tafel aftrekken. Beer jankte van de pijn en beet hem in zijn arm. Daardoor raakte mijn vader helemaal door het

dolle heen, hij sloeg en schopte hem en joeg hem de deur uit.'
'Ik denk dat hij toen is aangereden,' zegt Tilly zacht. 'Wij hebben hem gevonden en naar de dierenarts gebracht.'
'Was hij erg gewond?' vraagt de jongen geschrokken.

'De dierenarts moest hem opereren.'
Het is even stil, ze staren allebei voor zich uit. Bommel likt aan Tilly's hand en daarna aan die van de jongen.
'Ik heb lang naar hem gezocht,' zegt de jongen. 'Een tijdje geleden zag ik een advertentie in de krant staan. Het ging over een zwarte, langharige hond die was gevonden. Jullie adres stond erbij en jullie telefoonnummer. Ik heb een paar keer gebeld, maar ik wist niet goed wat ik moest zeggen, dus hing ik maar weer op. Daarna ben ik een paar keer naar jullie straat gereden. Eindelijk zag ik jou een keer lopen met Beer en toen...'
'Hé, Tilly, wat doe je daar? We konden je nergens vinden! Wie is die jongen?' Tilly schrikt op van haar vaders stem.
'Ik ga maar,' zegt de jongen opeens gehaast. Hij springt overeind en frommelt intussen een briefje in Tilly's hand. 'Ik zou Beer graag wat vaker willen zien,' mompelt hij nog.
Aan de andere kant van het veld blijft hij even staan. 'Beer!' roept hij, 'dag Beer!'

De hond vliegt overeind en rent naar hem toe. 'Bommel, niet doen!' schreeuwt Tilly. 'Blijf!' In verwarring blijft Bommel halverwege staan. Hij kijkt naar de jongen en dan naar Tilly, ze roepen allebei naar hem. Ten slotte weet hij niet anders te doen dan te gaan zitten. Hij zit daar nog als Tilly zijn halsband komt vastmaken. De jongen is dan al verdwenen.

Tilly zit op haar kamer, buiten begint het al donker te worden. Morgen moet ik afscheid van Bommel nemen, denkt ze en overmorgen is mam jarig. Wat heeft het nog voor zin om haar mijn boekje te geven? Maar toch wil ze het afmaken, al weet ze niet precies waarom dat zo belangrijk voor haar is. Misschien doet ze het wel voor Bommel.

9. Bang

We zaten een keer aan tafel te eten.

Mark zat in de kinderstoel.

Hij speelde met een stukje brood waarop jonge kaas zat.

Toen hinkte Bommel op drie poten naar hem toe.
Mark zwaaide met zijn brood vlak voor Bommels neus.
Dat was te veel voor hem.
Hij hapte het stukje in een keer op.
We moesten allemaal lachen, jij ook mam.
Daarna deed pap alsof hij heel erg boos was.
Bommel kromp helemaal in elkaar.
Dat heeft met vroeger te maken, weet ik nu.
Volgens mij beet hij Mark ook alleen maar omdat hij bang was.
Ik wou dat je dat kon geloven.

10 Afscheid

Voor de laatste keer laat Tilly Bommel uit. Ze voelt het briefje van die jongen in haar zak, zijn naam staat erop, Arjan, en zijn telefoonnummer. Hij weet niet eens wat er straks met Bommel gaat gebeuren. Tilly denkt aan het idee dat ze kreeg toen Arjan gisteren naast haar kwam zitten. Ze had bedacht dat Bommel weer bij hem kon gaan wonen, maar ze begrijpt nu dat zijn vader dat niet wil. Dan heeft het ook geen zin om Arjan op te bellen, denkt ze. Tilly kan niets meer verzinnen om Bommel nog te helpen.
Ze loopt dezelfde weg als altijd naar het park. Voor Bommel lijkt het daardoor alsof alles net als anders is, hij snuffelt aan elk paaltje en zijn staart zwaait vrolijk heen en weer. Tilly denkt nu aan het laatste hoofdstuk dat ze vanmorgen heeft

geschreven. Het was zo kort dat ze het uit haar hoofd kent.

10. Lieve ogen
Aan de ogen kun je zien wat voor hond het is.
Dat heb ik een keer gelezen.
Bommel heeft hele lieve, bruine ogen.
Dat vind je toch ook, mam?
Hij kon je zo trouw aankijken.
Daarom weet ik dat hij niet echt vals is.
Het moet iets anders zijn, maar wat?

Tilly heeft daarna alleen zijn kop getekend met een beetje verbaasde ogen. Voor Tilly is het zo precies goed, maar misschien vindt iemand anders het maar een rare tekening. Ik geef mijn boek niet aan mam, denkt ze, ik hou het voor mezelf, als een soort geheim.
Bij het bruggetje in het park slaat Tilly een andere weg in.
Ze loopt in de richting van het winkelcentrum. Voor de supermarkt bindt ze Bommels riem aan

een haak vast. 'Ik ben zo terug,' zegt ze.
Als Tilly weer naar buiten komt, springt Bommel uitgelaten tegen haar op. Ze houdt een pakje met jonge kaas omhoog. 'Je lievelingseten,' zegt ze als ze Bommel losmaakt, 'speciaal voor jou, je mag alles hebben.'
Een eindje verder gaat ze op een bankje zitten. Met moeite lukt het haar om het pakje open te peuteren. Bommel gaat vlak voor haar zitten en legt bedelend een voorpoot op haar arm.
Tilly maakt van de eerste plak kaas een rolletje. 'Zachtjes,' zegt ze terwijl ze de kaas voor zijn neus houdt. In één hap slikt Bommel het naar binnen.
Een jongetje dat met zijn moeder langsloopt, blijft staan. Nieuwsgierig kijkt hij hoe Tilly van de volgende plak een rolletje maakt.
'Mag ik hem aaien?' vraagt het jongetje.
'Toe maar,' antwoordt Tilly. Ze houdt het rolletje kaas omhoog. 'Wil jij het soms geven?'
Met een grote glimlach pakt hij het aan. Bommel volgt de kaas gulzig met zijn ogen.

Het jongetje aarzelt even en propt dan zo snel hij kan de kaas in zijn mond.
'Dat mag je niet doen,' zegt zijn moeder streng.
Ze trekt hem aan zijn hand mee.
'Ik wil bij dat hondje blijven!' hoort Tilly hem nog roepen.
Ik ook, denkt ze, terwijl ze het jongetje nakijkt.

Tilly ligt languit voor de lege mand op de grond.
Haar hoofd steunt op een van haar ellebogen.
Achter haar drentelt Mark heen en weer. Op zijn wang zit nog steeds het witte gaasverband.
Gelukkig valt het allemaal wel mee, over een paar dagen mogen de hechtingen er alweer uit.
'Ommel nou?' vraagt Mark.
'Weg,' antwoordt Tilly zonder om te kijken,
'Bommel is voor altijd weg.'
Ze durfde geen afscheid van hem te nemen. Pas toen ze haar vader en moeder hoorde weggaan, kwam ze beneden. Ze durfde al helemaal niet mee naar de dierenarts.
'Pele?' vraagt Mark die nu vlak achter haar staat.

'Ik heb geen zin,' mompelt Tilly, 'een andere keer.'
'Sapen,' zegt Mark. Met twee handjes probeert hij haar plat op de grond te duwen. Voor zo'n klein jongetje is hij behoorlijk sterk, voelt ze.
'Ik heb geen zin om te slapen,' zegt Tilly, maar ze laat toch toe dat hij haar op haar buik duwt. Met haar ogen dicht laat ze haar hoofd op haar armen rusten.
'Nie bijte,' brabbelt Mark.
Waarom zeg je dat nou? denkt Tilly. Het doet haar verdriet, maar ze laat het niet merken. Ze voelt hoe Mark dicht tegen haar aan kruipt. Als hij haar oor vastpakt, draait ze haar hoofd opzij, ze ziet dat Mark in zijn andere hand het nietapparaat vasthoudt. Dat had ik op moet ruimen, denkt Tilly.
'Ommel,' brabbelt Mark. Hij duwt het apparaat tegen haar oor aan.
Het lijkt of Tilly door een wesp is gestoken, zo snel komt ze overeind. Tegelijk flitsen allerlei gedachten door haar hoofd heen: Mark die bij Bommel in de mand kruipt; het nietapparaat

waarmee hij zo graag speelt; de angst van Bommel als Mark in de buurt komt.
Opeens begrijpt ze alles, maar het is te laat. Wanhopig kijkt ze naar de klok, haar vader en moeder zijn een halfuur geleden weggegaan. Dat redt ze nooit meer, de dierenarts woont aan de andere kant van de stad, meer dan een half uur fietsen. Bellen, denkt ze, ik moet bellen, nu meteen.

11 Te laat?

Kreunend van ongeduld houdt Tilly de hoorn van de telefoon tegen haar oor. Voor de tweede keer hoort ze het bandje aan de andere kant van de lijn: 'U bent verbonden met de dierenartsenpraktijk van mevrouw Dragt. Helaas is er op dit moment niemand aanwezig die u...
Tilly laat een schorre kreet horen en verbreekt de verbinding. Ze weet heus wel waarom de dierenarts niet opneemt, ze is nu bezig met Bommel, dan kan ze geen telefoontjes gebruiken. Het is te laat, denkt ze, geef het maar op. Maar een ander stemmetje in haar hoofd zegt dat ze het nooit moet opgeven. Met de telefoon nog in de hand, banjert Tilly wanhopig heen en weer.
'Doe je?' vraagt Mark.
Opeens blijft Tilly staan en vist een verfrommeld

briefje uit haar zak. Snel tikt ze het nummer in dat helemaal onderaan staat geschreven. Even later hoort ze de stem van Arjan.
Tilly praat zo snel dat ze over haar woorden struikelt, maar Arjan begrijpt meteen wat ze bedoelt. 'Ik ben bij een vriend, ik kan over tien minuten bij je zijn,' zegt hij gehaast, 'zorg dat je klaarstaat.'
In gedachten loopt Tilly naar de gang om haar schoenen te pakken. Met trillende vingers maakt ze haar veters vast.
'Weg?' vraagt Mark.
Tilly knikt. 'En jij ook. Ik breng je even naar de overkant, naar Tom.'
'Tom pele!' roept Mark vrolijk.
Hand in hand stappen ze even later naar buiten. Ze lopen vlak langs buurman Elling die zijn auto staat te wassen.
'Dag kinderen,' zegt hij, 'fijn aan de wandel?'
Tilly doet net of ze hem niet hoort, dat heeft ze van haar moeder afgekeken. Ze belt aan bij het huis van Tom, maar niemand doet open. Ze belt

opnieuw en dan nog een keer, snel achter elkaar.
'Ze zijn niet thuis,' mompelt Tilly.
Snel trekt ze Mark weer mee naar de overkant. De moeder van Bobbie wil vast ook wel op Mark passen. Tilly raakt in paniek als zij ook niet thuis is. Arjan kan elk moment komen, maar ze kan Mark niet alleen laten.
Besluiteloos blijft ze op de stoep staan. Buurman Elling knikt haar vriendelijk toe, hij is nu bezig de ramen te poetsen, de beide achterportieren van zijn auto staan wijdopen. Dan hoort ze vlakbij het geknetter van een brommer. Twee tellen later komt Arjan de hoek om scheuren. Aan zijn stuur bungelt een helm.
Tilly trekt Mark mee naar de auto van buurman Elling en duwt hem op de achterbank.
'Mag hij bij u blijven,' zegt ze tegen de buurman, 'alstublieft?'
Zonder op antwoord te wachten, rent ze weg. De buurman kijkt haar verbaasd na. Hij ziet dat ze achterop een bromfiets klimt die voor haar huis is gestopt.

Tilly heeft haar armen om Arjans middel geklemd. Hij rijdt zo hard als hij kan. Zelfs in de bochten remt hij bijna niet af. Ze ziet niks, omdat de grote helm over haar ogen is gezakt. Dat maakt het nog veel enger dan het al is.
Na een wilde rit vermindert Arjan opeens vaart. De brommer bonkt over iets hards, een stoeprand of een drempel, meteen daarna staat de brommer met een ruk stil.
Tilly trekt de helm van haar hoofd af. Ze ziet dat ze pal voor de ingang van de dierenartsenpraktijk staan.
'Opschieten!' roept Arjan, terwijl hij de brommer op de standaard zet.
Achterelkaar rennen ze naar binnen. Tilly ziet dat de deur van de wachtkamer openstaat, daar zit niemand. Zonder te kloppen stormt ze de praktijkruimte binnen. Op hetzelfde moment houdt ze in, zodat Arjan bijna tegen haar opbotst. Het is te laat, ziet ze, Bommel ligt levenloos op de behandeltafel.
Haar vader en moeder staan bij de tafel, een

hand van haar moeder rust op Bommels kop. Ze kijken verbaasd naar haar op, allebei hebben ze een verdrietige blik in hun ogen. De dierenarts staat in een glazen kastje te rommelen. Als ze zich omdraait, ontdekt Tilly het spuitje in haar hand.

'Tilly,' begint haar vader, 'Tilly, het is beter als je...'

'Waarom ben je gekomen?' vraagt haar moeder met een bedrukte stem. 'Waar is Mark en wie is die jongen?'
Tilly duwt haar gezicht in Bommels harige vacht. 'Bommel is niet vals,' zegt ze schor, 'hij kon er niets aan doen, het was de pijn.'
'Pijn?' vraagt de dierenarts, terwijl ze dichterbij komt. 'Waar dan?'
'Zijn oren,' fluistert Tilly, 'het waren zijn oren. Kijk maar.'
De dierenarts pakt een van Bommels flaporen vast. Voorzichtig strijkt ze er met haar vingers over. 'Ik kan niets...' maar dan stopt ze en buigt razendsnel voorover. 'Wat zit hier in hemelsnaam?' vraagt ze verbaasd, 'en hier ook al? Het zit er vol mee.'
'Nietjes,' antwoordt Tilly alleen.
Het is even doodstil in de kamer. Dan hoort Tilly hoe de dierenarts een diepe zucht slaakt. 'Wat een geluk,' zegt ze.
Als ze Tilly's verbaasde blik ziet, moet de dierenarts glimlachen. 'Hij heeft een spuitje

gekregen om rustig te worden,' legt ze uit, 'dit is het spuitje om hem te laten inslapen,' ze houdt het omhoog, 'jullie zijn net op tijd.'
Het duurt even voordat het goed tot Tilly doordringt. Maar dan gebeurt er wat ze eigenlijk niet wilde. Zonder geluid te maken begint ze te huilen.

12 Het boek

Tilly ligt maar in haar bed te woelen, haar gedachten schieten alle kanten op. Er is ook zo veel gebeurd vandaag. Ze kan bijna niet geloven dat Bommel beneden in zijn mand ligt te slapen. Hij is nog steeds een beetje suf van dat spuitje. Met een tangetje heeft de dierenarts alle nietjes verwijderd. Ze zaten in allebei zijn oren. Mark begreep niet dat hij Bommel pijn deed, weet Tilly, voor hem was het alleen maar spelen. Eigenlijk was het ook een beetje haar schuld, ze vergat steeds het nietapparaat op te ruimen.
Tilly hoort gestommel op de trap. 'Nog een uurtje, dan ben je jarig,' hoort ze haar vader tegen haar moeder zeggen.
Tilly kijkt op haar wekker, bijna elf uur. Ze gaan nu ook naar bed.

Tilly gooit zich op haar andere zij. Die Arjan is eigenlijk hartstikke aardig, denkt ze, zonder zijn hulp had Bommel nu niet meer geleefd. Bij het weggaan gaf haar vader hem een klap op zijn schouder. Je bent een kerel naar mijn hart, zei hij. Tilly weet niet precies wat dat betekent, maar Arjan glom van trots.
Ze hebben afgesproken dat hij zo vaak op bezoek mag komen als hij wil.
Onrustig rolt Tilly terug op haar andere zij. Toen ze thuiskwamen, zat Mark niet meer in de auto. Maar al snel vloog de deur van de buurman open. Mark drentelde naar buiten met een lolly in zijn hand. De buurman en de buurvrouw stonden in de deuropening om hem uit te zwaaien. 'Morgen leg ik alles uit!' riep Tilly's moeder.
Tilly draait zich op haar rug en staart naar het plafond. Tussen al die fijne gedachten zit een andere gedachte die haar maar niet wil loslaten, ze heeft gemerkt dat mam nog steeds bang is voor Bommel. Dat maakt Tilly ook bang, bang dat Bommel niet mag blijven. Kon ik daar maar wat

aan doen, piekert ze. Opeens schiet ze overeind en gooit het dekbed van zich af.

'Mam,' fluistert Tilly, 'wakker worden mam.' Ze schudt zacht aan de schouder van haar moeder.
'Wat is er?' vraagt haar moeder slaperig. 'Weet je wel hoe laat het is?'
'Ja,' antwoordt Tilly, 'het is één minuut over twaalf. Je bent jarig mam, van harte gefeliciteerd.' Ze geeft haar een kus op haar wang.
Haar moeder moet een beetje glimlachen. Intussen kijkt ze opzij naar vader die gewoon doorsnurkt. 'Dankjewel,' zegt ze zacht, 'ga nu maar weer slapen.'
'Ik wil je eerst een cadeautje geven,' fluistert Tilly.
'Kan dat niet tot morgen wachten?'
'Nee, je móet even meekomen naar beneden.'
Haar moeder kruipt met een zucht onder het dekbed vandaan. In haar nachtpon loopt ze achter Tilly de trap af. Als Tilly in de kamer het

licht aanknipt, tilt Bommel verbaasd zijn kop op.
'Daar is je cadeau.' Tilly wijst naar het pakje in Bommels mand. 'Het is eigenlijk een cadeau van Bommel.'
'Heeft Bommel het ook zelf zo mooi ingepakt?' vraagt moeder.
'Maak nou maar open,' antwoordt Tilly.
Met een schuin oog naar de hond haalt moeder het pakje uit de mand. Ze maakt voorzichtig het papier los. Even later kijkt ze tegen de achterkant van Tilly's boek aan.
'Het is een boek over Bommel,' legt Tilly uit.
Haar moeder draait het boek om. Op de voorkant heeft Tilly de laatste tekening van Bommel geplakt. Daarboven staat in grote letters: *Laat me niet in de steek.*
Haar moeder slikt even. 'Nou bedankt, ik vind het een heel...'
'Je moet Bommel bedanken,' valt Tilly haar in de rede.
'Dankjewel Bommel.' Ze aait snel even over zijn kop.

'Niet zo, maar zoals je mij zou bedanken.'
Aarzelend hurkt haar moeder voor de mand neer.
'Ik weet niet...'
'Toe nou mam, ik wil dat graag.'
Langzaam slaat moeder haar armen om Bommel heen. Dan duwt ze voorzichtig haar wang tegen zijn kop aan. Ze begint te lachen als ze een grote natte tong in haar oor voelt.
'En?' vraagt Tilly.
'Wat en?'
'Ben je van plan hem in de steek te laten?'
Haar moeder kijkt haar verbaasd aan. 'Nee,' antwoordt ze, 'natuurlijk niet.'

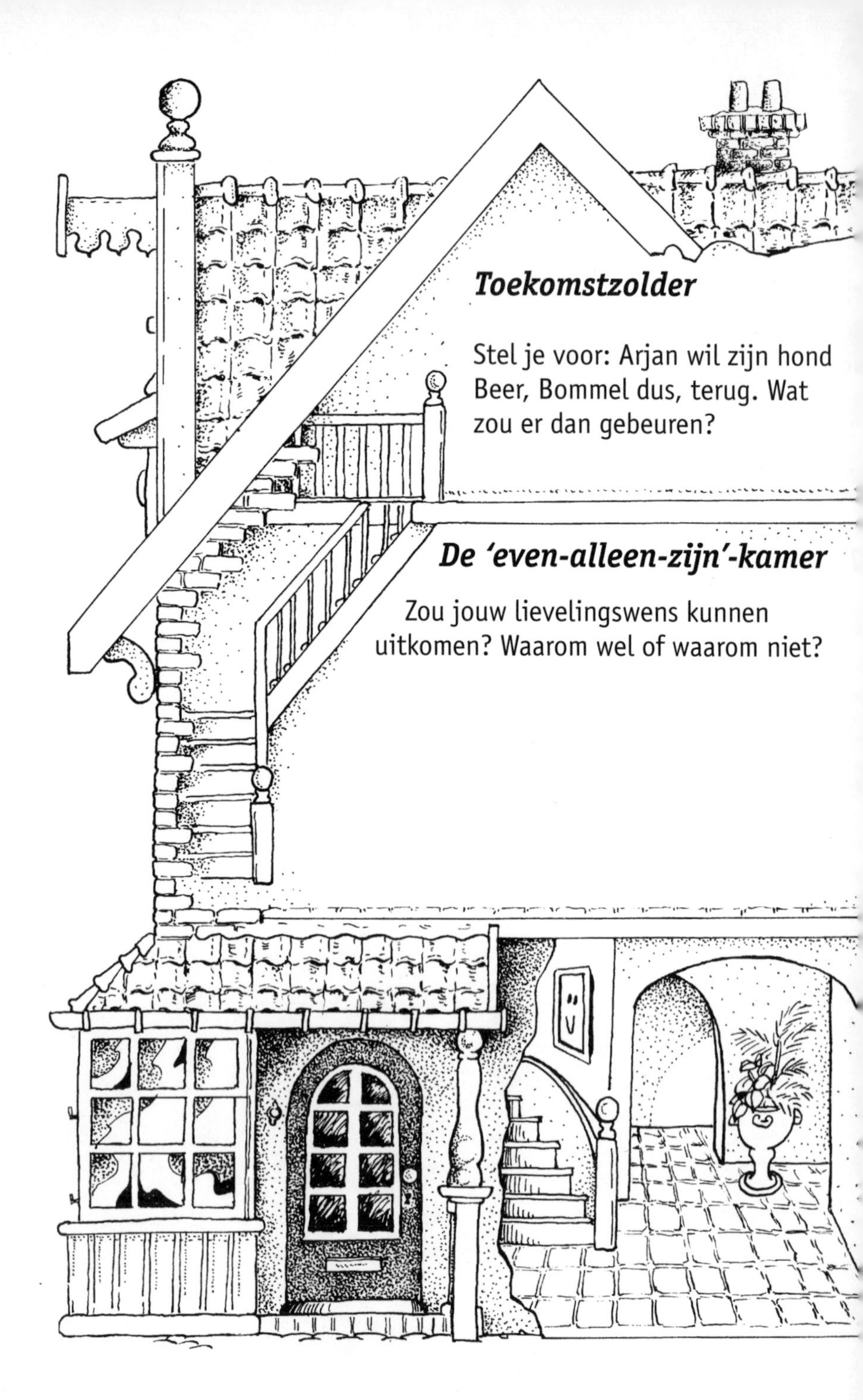

Toekomstzolder

Stel je voor: Arjan wil zijn hond Beer, Bommel dus, terug. Wat zou er dan gebeuren?

De 'even-alleen-zijn'-kamer

Zou jouw lievelingswens kunnen uitkomen? Waarom wel of waarom niet?

lijft Bommel,
ommel, of wordt
ommel weer Beer?
Taalkamer
Eng
Bang
Vals
Bij welk woord krijg jij de naarste gedachten?
Kees Opmeer stuurde een e-mail
aan alle lezers.
Lees maar op de volgende bladzijde.
@

Van: keesopmeer@hotmail.com
of mail via villa@maretak.nl
Aan: <alle lezers van VillA Alfabet>
Onderwerp: Vals of niet?

Hallo lezer,

In deze e-mail zal ik iets over mezelf en over dit boek vertellen. Met mijn drie dochters en mijn vrouw woon ik in Ruinen. Dat is een dorpje in Drenthe aan de rand van een mooi natuurgebied.
Mijn dochters en mijn vrouw helpen mij altijd met schrijven. Ze lezen alles wat ik schrijf en zeggen dan wat ik moet veranderen. Ze zijn heel streng voor mij, maar dat vind ik juist goed.
Ook met dit boek hebben ze mij goed geholpen.
Ik kwam op het idee door een hond die wij vroeger hadden. Mijn dochters waren nog heel klein. Het was een hond uit een asiel, met lange zwarte haren en droevige ogen. Hij was een lieve hond, maar soms was hij heel druk en gromde veel. Op een dag beet hij een van mijn kinderen in de arm. Toen moesten we hem wel terugbrengen naar het asiel. Dat deed mij veel verdriet. Later zeiden ze in het asiel dat hij vroeger waarschijnlijk is mishandeld. Daar heb ik nu een boek over geschreven, vermengd met wat fantasie.

Ik vind het leuk om mailtjes te krijgen, dus ga je gang. Ik beloof je: je krijgt altijd antwoord.

Groeten van Kees

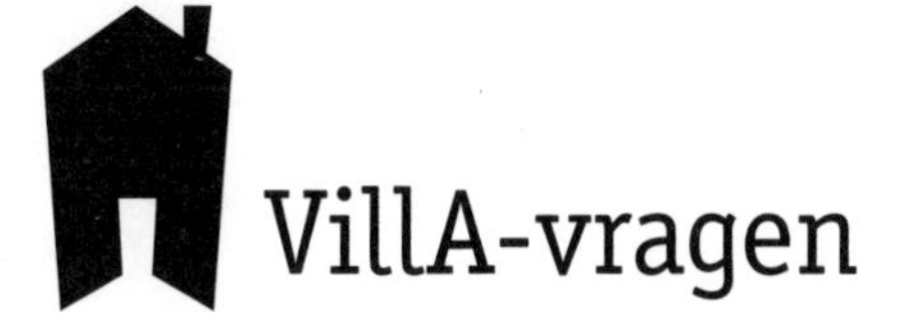

VillA-vragen

Vragen na hoofdstuk 3, bladzijde 26

1 Een harige flapoor, een zwaaiende staart. Hoe ziet Bommel eruit denk je? Kun je hem nog verder beschrijven?
2 Tilly's moeder is bang voor honden. Ben jij ook bang voor honden of voor andere dieren? Of ben je bang voor heel iets anders?
3 Tilly wil haar moeder helpen om niet meer bang te zijn voor Bommel. Wat vind jij van de manier waarop Tilly dat doet?

Vragen na hoofdstuk 7, bladzijde 54

1 Bommel knakt de bloemen in de tuin en Tilly bedenkt daarom een hele slimme smoes, zodat Bommel de schuld niet krijgt. Zou jij nog een heel andere slimme truc kunnen bedenken?
2 De achtervolging door de jongen met de zwarte helm maakt Tilly natuurlijk doodsbang. Zou jij ook zo hard wegrennen en je verstoppen? Of zou jij iets anders doen?
3 'Bommel heeft er spijt van,' zegt Tilly tegen haar moeder. Waarom zegt Tilly dat?

Vragen na hoofdstuk 12, bladzijde 88

1 Wat een nare droom heeft Tilly! Welke woorden maken haar droom zo eng?

2 Het heeft weinig zin voor Tilly om haar boekje af te maken en toch doet ze het. In het verhaal staat: 'Misschien wel voor Bommel'. Waarom denk jij dat Tilly toch haar boekje wil afmaken?
3 Als Tilly opeens alles begrijpt, wil ze direct de dierenarts bellen. Wat wil Tilly vertellen en waarom heeft ze zo'n haast?

VillA Alfabet